D1199974

TAILLER LE SILEX

J.-P. Lhomme
Technicien de recherche
Service régional de l'Archéologie d'Aquitaine

S. Maury
Archéologue départemental
Conseil général de la Dordogne

TAILLER LE SILEX

Préface de Bernard Cazeau
Sénateur de la Dordogne
Président du Conseil général

Avant-propos de Jean-Philippe Rigaud
Directeur de l'Institut de Préhistoire et de Géologie du Quaternaire
et du Centre national de Préhistoire

1990
réédition 1998

Conseil général de la Dordogne
Service de l'Archéologie - 2, rue Paul-Louis Courier - 24019 Périgueux Cédex
Tél. 05 53 06 40 20 - Fax : 05 53 06 40 24
e-mail : cg.archeologie@perigord.tm.fr

A.D.D.C. Archéolud
Espace culturel François Mitterrand - 2, place Hoche - B.P. 1056 - 24001 Périgueux Cédex
Tél. 05 53 06 40 20 - Fax 05 53 06 40 24
e-mail : archeolud@perigord.tm.fr

Illustration graphique
J.-P. Lhomme - J.-G. Marcillaud

Chaînes opératoires
J.-M. Geneste - J.-P. Lhomme

Bibliographie
M. Sigaud

Saisie du texte
L. Delhomelle - C. Jousserand

Mise en page
J.-P. Lhomme - S. Maury

Nous remercions toutes les personnes ayant collaboré à cet ouvrage
et sans lesquelles il n'aurait pu voir le jour.

Texte d'accompagnement du film « TAILLER LE SILEX »
Périgueux, A.D.D.C. Achéolud, Département de la Dordogne, 1985
(J.-M. Geneste, réalisateur)

Voilà déjà dix ans que paraissait cet ouvrage. Son succès nécessite aujourd'hui une réédition.

Le président Bernard Bioulac, dans la préface, justifiait ainsi cette initiative du Conseil général : « Apprendre au public, et d'abord aux enfants, le respect des traces fragiles laissées par nos lointains ancêtres, les initier à la démarche patiente et méticuleuse de la recherche scientifique, leur en révéler les multiples aspects et les résultats les plus significatifs, telles sont les missions essentielles confiées à l'archéologue départemental».

Un service qui s'est particulièrement bien acquitté de ses missions puisque plusieurs dizaines de milliers d'enfants se sont familiarisées avec une approche concrète de l'archéologie grâce aux différents outils pédagogiques conçus par l'archéologue départemental avec le concours de ses collègues de la Direction régionale des Affaires culturelles : modules de fouilles expérimentales et d'Art pariétal, exposition interactive «Préhistolivre», valise pédagogique dans laquelle s'insèrent ce manuel et le vidéogramme qui l'accompagne. Autant de produits d'exportation qui contribuent à faire connaître, hors des frontières, le patrimoine préhistorique de notre pays et le savoir-faire périgourdin.

Bernard Cazeau
Sénateur de la Dordogne
Président du Conseil général

Avant-propos

De toutes les activités préhistoriques de l'homme, c'est la fabrication de ses outils en roche dure, le silex le plus souvent, qui a laissé pour le préhistorien le plus grand nombre de vestiges. En outre, la roche siliceuse a beaucoup mieux résisté aux avatars de l'enfouissement dans le sol que les matières organiques telles que le bois végétal, le cuir, la corne, l'os ou les bois de cervidés.

Tous les fragments de roche taillée, du plus petit déchet de fabrication à l'outil abandonné par son utilisateur, apportent au préhistorien de précieuses informations sur notre ancêtre paléolithique, ses aptitudes physiques, son intelligence, ses adaptations, son économie, etc. L'homme préhistorique a investi, dans un geste aussi quotidien que de faire un outil et l'utiliser, une somme immense de connaissances empiriques et d'habileté ; il a développé dans cette simple action des concepts techniques qui ont marqué les différentes étapes de son évolution physique et psychique. Du galet grossièrement aménagé à la production des lames magdaléniennes, les acquisitions technologiques de l'humanité sont enregistrées dans la matière et c'est au préhistorien, en analysant la morphologie des objets, de décoder à travers l'enchaînement des gestes associés il y a des millénaires dans la fabrication et l'utilisation des outils, les éléments de la technologie et le comportement de l'homme paléolithique.

L'analyse descriptive classificatoire et par conséquent statique de l'outillage préhistorique telle qu'elle était pratiquée il y a quelques décennies fait place maintenant à une étude dynamique de sa fabrication à travers l'ensemble de la chaîne opératoire comprise entre l'approvisionnement en matière première et l'abandon de l'objet devenu inutile. Au-delà de l'analyse morphotechnique des objets, cette nouvelle démarche implique une vérification expérimentale afin d'établir les bases référentielles indispensables à l'interprétation des données analytiques. C'est la raison pour laquelle les préhistoriens, à la suite de L. Coutier, F. Bordes, J. Tixier et D. Crabtree, taillent encore le silex.

S'agissant de présenter d'une façon dynamique le concept de chaîne opératoire, l'enregistrement cinématographique est apparu comme le moyen le plus approprié et le film « Tailler le silex », réalisé par J.-M. Geneste, a pleinement atteint l'objectif qu'il s'était fixé. Le présent document est destiné à aider une réflexion autour des thèmes du film que la succession des images ne permet pas toujours. L'ensemble constitue une base documentaire importante pour une meilleure connaissance des comportements de l'homme préhistorique et des méthodes de travail des préhistoriens. Félicitons donc tous ceux qui ont contribué à sa réalisation et sa réussite.

Jean-Philippe RIGAUD

Avertissement

Ce livre est un élément d'un ensemble qui compose une valise pédagogique traitant de l'évolution de l'Homme à travers ses outillages.

Les différents supports choisis sont, pour leur constitution, semblablement découpés en quatre séquences retenues comme étapes simplifiées de cette évolution.

Outre le présent ouvrage, cette valise comprend :

. 1 film de 13 mn qui met en action les différentes méthodes et techniques de taille des roches dures ;
. des moulages de crânes de fossiles humains correspondant à chaque période ;
. des moulages d'objets en pierre selon les quatre modes de production dont on peut identifier la méthode par le remontage des éléments qui composent cette production ;
. des posters qui illustrent et schématisent les quatre "chaînes opératoires" de production.

Le livre est, à lui seul, de manière autonome, un document de base sur un sujet qui trouve un écho de plus en plus favorable auprès d'un large public. Face au foisonnement d'ouvrages souvent trop spécialisés ou trop imprécis, il est proposé ici une approche concrète de la fabrication des outils et de leur évolution chronologique. La perception sensorielle des matériaux, des objets et des gestes de fabrication, appréhendée dans la valise pédagogique, a pour but de réduire la distance et de compléter le mode de présentation quelquefois incompréhensible qui, dans nos musées, éloigne le visiteur des outils préhistoriques authentiques. Leur protection nécessaire les rend aussi inaccessibles que fascinants.

Cet ouvrage se veut simple et clair. Il ne peut prendre en compte que certaines précisions et variantes dans les méthodes employées aussi bien par les hommes préhistoriques que par les archéologues expérimentateurs. De même, les termes techniques et scientifiques en caractère gras dans le texte font l'objet d'un renvoi aux encarts et à un glossaire en fin d'ouvrage.

Ce document devrait permettre une vision différente des hommes préhistoriques à travers les procédés redécouverts de la fabrication de leurs outils.

TAILLER LE SILEX AUJOURD'HUI : POURQUOI ? Ce livret n'est pas un mode d'emploi pour apprendre à tailler les roches dures mais un moyen de mieux approcher l'artisan paléolithique à travers certaines de ses méthodes et techniques, témoins de son intelligence et de ses connaissances.

Les modes de vie des hommes préhistoriques sont difficiles à connaître puisque ces derniers ne nous ont laissé aucun écrit. Pour les appréhender, l'archéologue étudie les objets qu'ils ont fabriqués et qui aujourd'hui sont exhumés des sites fouillés. Redécouvrir et expérimenter les techniques de fabrication des outils en pierre permet non seulement d'approcher leurs gestes mais également leur mode de vie.

— L'examen de la nature des **matières premières** renseigne l'archéologue sur leurs lieux d'origine par rapport aux sites préhistoriques où elles sont mises au jour. Cette étude apporte donc des éclaircissements sur le transport de ces roches et par là-même sur les déplacements des hommes. Le **remontage** des différents **éclats** et débris, provenant du **débitage** des blocs de matières premières, favorise la compréhension des méthodes élaborées par les hommes préhistoriques et permet de reconstituer les **chaînes opératoires** qui les composent.

— L'observation des **traces d'usures** sur les outils archéologiques, comparées avec celles obtenues sur leurs répliques expérimentales, donne des informations quant à la nature des matières travaillées et au mode d'utilisation de ces objets.

La pratique de la taille des roches dures occupe une grande place dans la **technologie expérimentale**. Mieux maîtrisée et systématisée, elle est devenue un domaine reconnu de la recherche archéologique. Elle nécessite toutefois des précautions indispensables car toute expérimentation produit des objets nouveaux en pierre qui peuvent perturber l'archéologie de demain. Pour cette raison, les archéologues expérimentateurs n'abandonnent jamais d'objets taillés sur les sites naturels ; ils identifient et inventorient les résultats de leur expérimentation.

En dehors de l'apprentissage des méthodes et techniques, leurs travaux sont en relation directe avec l'étude des objets archéologiques ; ils ont pour but de vérifier des hypothèses portant sur les activités des hommes préhistoriques. C'est, par exemple, à partir de la définition d'un protocole de recherche précis, la fabrication et l'utilisation en grande série, pour des actions de chasse, de pointes de projectiles expérimentales en silex. L'étude des résultats (types de fractures, traces d'usures, etc.), comparée à celle des pointes préhistoriques, permet de mieux comprendre les problèmes liés à la fabrication et au mode d'utilisation de ces dernières.

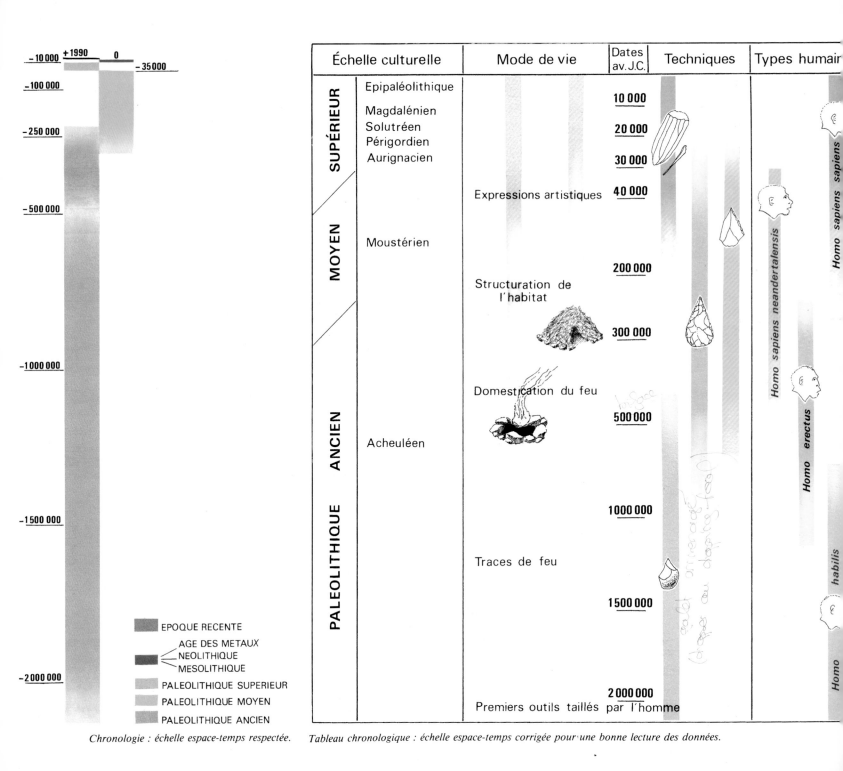

Échelle culturelle		Mode de vie	Dates av. J.C.	Techniques	Types humain
SUPÉRIEUR	Epipaléolithique		10 000		
	Magdalénien				
	Solutréen		20 000		
	Périgordien				
	Aurignacien		30 000		
		Expressions artistiques	40 000		*Homo sapiens sapiens*
MOYEN	Moustérien				*Homo sapiens neandertalensis*
			200 000		
		Structuration de l'habitat	300 000		
PALEOLITHIQUE · ANCIEN		Domestication du feu	500 000		*Homo erectus*
	Acheuléen				
			1 000 000		
		Traces de feu	1 500 000		*habilis*
			2 000 000		*Homo*
		Premiers outils taillés par l'homme			

EPOQUE RECENTE
AGE DES METAUX
NEOLITHIQUE
MESOLITHIQUE
PALEOLITHIQUE SUPERIEUR
PALEOLITHIQUE MOYEN
PALEOLITHIQUE ANCIEN

− 10 000
+ 1990   0
− 35 000
− 100 000
− 250 000
− 500 000
− 1 000 000
− 1 500 000
− 2 000 000

Chronologie : échelle espace-temps respectée.   *Tableau chronologique : échelle espace-temps corrigée pour une bonne lecture des données.*

PLUS DE DEUX MILLIONS D'ANNÉES
ENTRE LE PREMIER GALET TAILLÉ ET LE BURIN PÉRIGORDIEN

Si l'on veut présenter en quatre étapes seulement l'évolution des techniques de fabrication employées par les hommes au cours de la préhistoire, il faut simplifier la réalité archéologique qui est forcément plus complexe. En effet, le développement et les progrès de la recherche démontrent que différents types d'outils et procédés de taille des roches dures, ont pû coëxister pendant de longues périodes et concerner des types humains différents.

Au début de **l'ère quaternaire,** entre 2,5 millions et 1 million d'années, ***Homo habilis,*** uniquement africain, n'utilise guère qu'un seul type d'outil sommairement taillé à partir de roches adaptées qu'il peut récolter sur les plages des rivières : **le galet aménagé** et les éclats qui en proviennent.

Plus tard, en Europe, entre 1 million d'années et environ 400 000 ans, ***Homo erectus,*** dispose d'un outillage plus élaboré. Il taille à partir de blocs de silex, ou d'autres roches dures, des **bifaces** aux formes variées et au tranchant bien développé. Ceux-ci lui permettent de travailler d'autres matériaux comme le bois.

A la fin du **Paléolithique inférieur** et au **Paléolithique moyen,** entre 400 000 ans et 35 000 ans avant notre ère, les **Néandertaliens** *(Homo sapiens neanderthalensis)* et leurs précurseurs généralisent des méthodes systématisées de **débitage d'éclats.** Une de ces méthodes, **la méthode Levallois,** sera prise ici comme exemple. Elle permet d'obtenir des éclats de formes variées dont certains sont transformés en outils et utilisés pour le travail du bois, de l'os, de la peau.

Enfin, au **Paléolithique supérieur,** entre 35 000 ans et 10 000 ans avant notre ère, ***Homo sapiens sapiens,*** l'homme moderne dont l'homme de Cro-Magnon est un **fossile,** organise la fabrication de son outillage principalement à partir du **débitage de lames,** au tranchant régulier, servant de support à une gamme étendue d'outils. Cet outillage est adapté au travail de différents matériaux afin de produire d'autres objets, instruments ou armes.

Paysage de savane africaine (Rift, sud de Nairobi, Kenya)

    Localisé d'abord dans l'Est africain, *Homo habilis* (homme habile) représente le premier spécimen du genre *Homo*. Contrairement à son contemporain **Australopithécus,** il agrandit peu à peu son territoire de chasse et de cueillette vers l'Afrique du Sud puis à tout le continent africain et au sud de l'Eurasie. Il évolue en petits groupes dans un paysage de savane arborée, en s'installant sur les bords des rivières et des lacs. Ces lieux de halte lui procurent la matière première pour la réalisation de son outillage. Il est entouré d'une faune variée, ancêtre de la faune africaine actuelle.

IL Y A PLUS DE DEUX MILLIONS D'ANNÉES...

LE GALET AMÉNAGÉ

L'UN DES PREMIERS OUTILS en roche dure conçu et fabriqué... le **galet aménagé.**

La matière première

Les plages des rivières et leurs terrasses alluviales sont des lieux riches en galets. Ces ressources abondantes ont permis aux premiers hommes de pouvoir les choisir selon leur matière, leur forme et leur grosseur avant de les transformer en outils.

L'outil employé pour la taille

Le **percuteur dur** fait lui aussi l'objet d'un choix. Ce galet, le plus souvent rond et massif (car ainsi plus résistant), va servir, à percuter les autres galets afin de les transformer en outils.

0
10 000
20 000
30 000
40 000
200 000
300 000
500 000
1 000 000
1 500 000
2 000 000

17

Il y a plus 2.000.000 d'années ... LE GALET AMÉNAGÉ

Homo Habilis

1

2

3

1 - 2 Enlèvement d'un ou plusieurs éclats.

3 Galet aménagé unifacial.

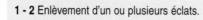

ARCHEO LUD
DALIMAGE
05 53 03 96 96
Dessins
J.P. LHOMME

Le façonnage

Des coups sont appliqués à l'aide du percuteur sur un bord du galet afin d'enlever des éclats et d'obtenir un tranchant. Si les éclats sont détachés sur une seule face, l'outil qui en résulte est un « chopper » (1) ; s'ils le sont sur les deux faces, il s'agit d'un « chopping-tool » (2)

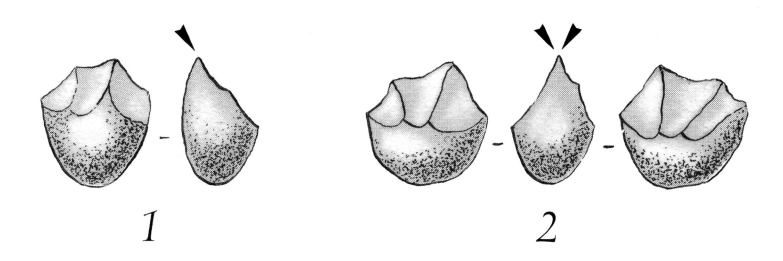

L'utilisation

Le tranchant du galet aménagé, « chopper » ou « chopping-tool », est sommaire. Il est épais, irrégulier et peu coupant, donc inadapté à des travaux précis et délicats. L'avantage de cet outil réside dans sa bonne tenue en main grâce à la rondeur naturelle de sa base non travaillée. Pour cette raison, il est relativement efficace pour tailler des branches ou pour briser des os afin d'en extraire la moelle.

Les éclats résultant de la fabrication de ces outils ont été très certainement utilisés pour couper des matières animales ou végétales.

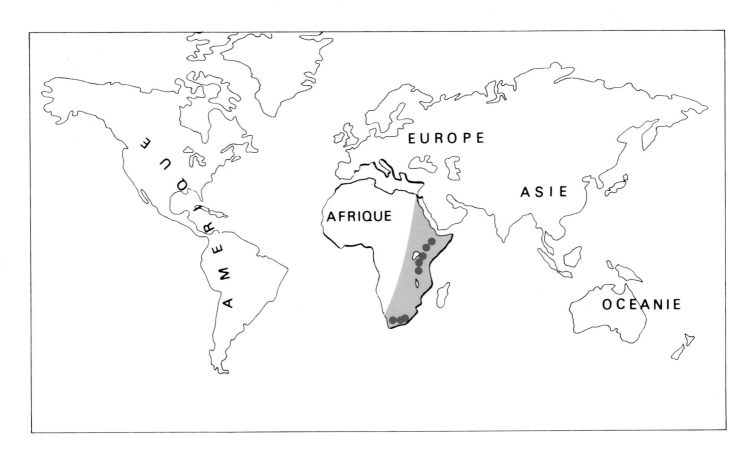

Répartition géographique de **Homo habilis** *et localisation des principaux sites ayant livrés des vestiges d'occupation ou des restes humains.*

D'origine africaine, comme les *Homo habilis* qui en furent les premiers fabricants il y a plus de 2 millions d'années, les galets aménagés sont connus en Asie et en Europe pour des périodes plus récentes, de l'ordre de 1 million d'années. On les retrouve encore chez les *Homo erectus* (400 000 ans), chez les *Homo sapiens neanderthalensis,* et même, plus rarement, chez l'homme moderne, mais ils sont alors associés à des outils techniquement beaucoup plus évolués. Ces galets aménagés devaient alors répondre à des besoins et à des activités ne nécessitant pas d'outils perfectionnés.

Chooping-tool sur galet de quartz.

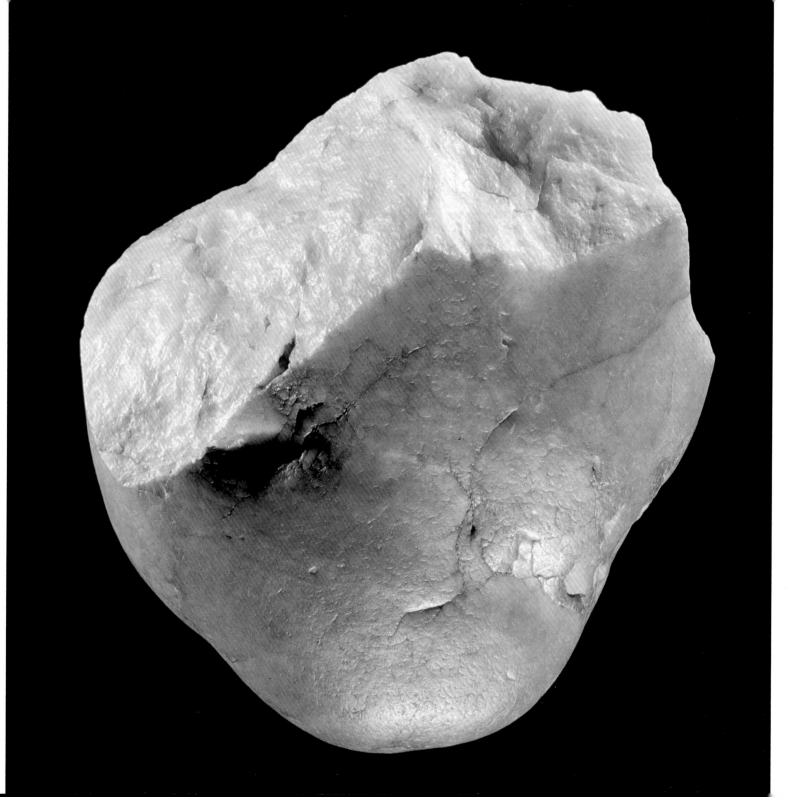

Site acheuléen de plein air : bifaces et galets aménagés, érodés par le vent (Olorgesailie, Afrique).

Issu probablement de l'espèce *habilis, Homo erectus* dépasse le cadre géographique africain. On le retrouve en Europe, en Indonésie et en Chine. Il va se confronter sur ces nouveaux territoires, à des climats différents (tropicaux en Afrique, périglaciaires en Europe) accompagnés, selon les latitudes, par un environnement varié, forêts ou steppes. De tels milieux vont engendrer des variations culturelles d'une région à l'autre. Même s'il a dû s'adapter à une faune et une flore variant en fonction des climats, son mode de subsistance reste assez proche de celui de *Homo habilis*. Les déplacements de *Homo erectus* vont lui faire découvrir d'autres types de matières premières lui permettant de façonner des outils mieux adaptés à son mode de vie.

IL Y A 500 000 ANS... LE BIFACE

Le biface peut être considéré comme l'aboutissement du galet aménagé. Les enlèvements d'éclats destinés à l'aménagement du tranchant envahissent progressivement les deux faces de l'objet pour aboutir à un outil entièrement façonné.

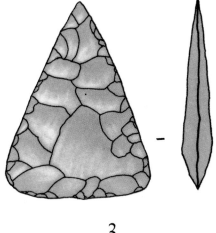

3

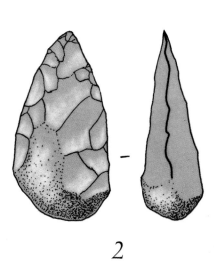

2

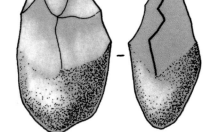

1

1 - *Biface abbevillien*

2 - *Biface acheuléen*

3 - *Biface moustérien de tradition acheuléenne*

0
10 000
20 000
30 000
40 000
200 000
300 000
500 000
1 000 000
1 500 000
2 000 000

23

La matière première

Différents types de matière première ont été employés par l'homme préhistorique pour la fabrication des bifaces. Parce que présent en quantité suffisante, le silex a été préférentiellement utilisé en France et en Europe alors qu'en Afrique, par exemple, ce sont souvent des grès fins ou des quartzites. D'autres roches, plus rares, ont pu être localement exploitées ou transportées dès cette période sur d'assez longues distances.

Les outils employés pour la taille

Les galets (percuteurs durs), puis le bois animal, l'os et certainement le bois végétal (**percuteurs tendres**) ont été utilisés pour tailler les bifaces. L'utilisation de ces derniers est une grande découverte de **l'Acheuléen**. Elle va permettre une amélioration très nette dans le **façonnage** de ces outils grâce à des enlèvements d'éclats plus fins et plus longs.

Gîte de matière première. Les blocs de silex apparaissent en bordure du talus.

Silex et autres matières premières

Très tôt, les hommes préhistoriques ont su sélectionner les roches dures les plus faciles à tailler mais également les plus favorables à l'obtention d'un tranchant. Ce n'est pas un hasard si l'utilisation du silex, lorsqu'il existait, a été préféré à d'autres roches. Il est, en effet avec l'obsidienne, verre naturel d'origine volcanique, la matière première la plus apte à la taille.

Le silex est extrait d'un **gîte** où il se présente en abondance sous forme de blocs de dimensions très variables. Les blocs sont le plus souvent recouverts d'une croûte calcaire appelée **cortex**. Les gîtes sont toujours en relation avec les roches sédimentaires calcaires et argileuses des anciens fonds de mer ou de lac. Cela explique, par exemple, la présence fréquente du silex dans les deux grands bassins sédimentaires français : le Bassin Parisien et le Bassin Aquitain.

La qualité et l'aspect du silex sont très variables et dépendent du milieu dans lequel il s'est formé. Les couleurs les plus courantes sont les noirs et les beiges mais il existe aussi des bruns, des jaunes, des rouges, des gris et des multicolores selon leur origine. On classe également parmi le silex la cornaline, l'agate, l'onyx, la calcédoine.

Certaines régions, surtout les massifs primaires, sont pratiquement dépourvues de gîtes de silex. Les hommes ont alors exploité d'autres roches dures : le grès, la rhyolite en Afrique, le quartz et le quartzite en Algérie et au Brésil par exemple et, quelquefois, le schiste, le granit, certains calcaires à grains fins et l'obsidienne.

Il y a 500.000 ans... LE BIFACE

Homo erectus

2

3

4

5

1

6

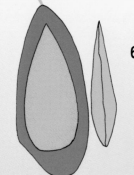

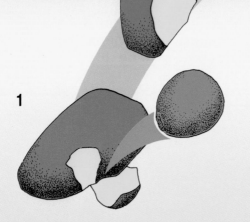

1 - 2 Décorticage et aménagement du bloc de matière première.

3 Enlèvement des dernières plages corticales.

4 Préforme : amincissement et détermination de la forme.

5 Finition : régularisation et affûtage du biface.

6 Comparaison entre le volume initial du bloc et l'outil fini.

ARCHEOLUD

© DALIMAGE

Dessins J.P. LHOMME

Le façonnage

Par des enlèvements successifs, un bloc de volume irrégulier est transformé en un volume déterminé, en plusieurs étapes de mise en forme, afin d'extraire un seul outil, tranchant sur son pourtour. D'une manière générale, et en partant d'un bloc épais, ce façonnage peut être décomposé en trois étapes.

• Décorticage et aménagement du bloc

Le tailleur supprime les principales irrégularités du bloc en enlevant, lorsqu'elle existe, l'enveloppe calcaire (cortex) rarement tranchante. Pour ce travail, le percuteur dur est choisi préférentiellement pour sa capacité à entamer les blocs épais et massifs (1 - 2).

• Préforme

Le percuteur tendre détache, depuis les bords obtenus lors de la première étape, des éclats de taille qui « pèlent » le bloc de silex. Ceux-ci, plus minces que les précédents, enlèvent de larges plaques de matière première. Cette opération amincit le futur biface et en détermine la forme générale (3 - 4).

• Finition

La régularisation des bords par l'enlèvement d'éclats petits et minces donne alors au biface sa forme définitive. Afin de le rendre plus tranchant, il est nécessaire d'en affûter les bords à l'aide d'un petit percuteur tendre (5).

Tous les éclats enlevés au cours de la fabrication du biface tombent entre les pieds du tailleur. Ce sont les **déchets de taille** que les hommes préhistoriques ont très souvent abandonnés, bien que certains soient très coupants.

L'utilisation

Un tel outil régulier, dont la partie la plus tranchante se situe le plus souvent vers la pointe, peut être utilisé pour tailler du bois, couper de la viande, râcler les os ou la peau d'un animal.

Utilisation : coupe d'une branche.

Les formes

Le contour et l'épaisseur de cet objet ont varié selon les époques et les régions, depuis le biface en forme d'amande (amygdaloïde) ou en forme de cœur (cordiforme) des hommes de l'Acheuléen jusqu'au biface triangulaire de certains **Moustériens.**

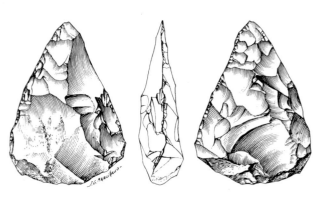

Biface cordiforme.
Dessin J.-G. Marcillaud.

Principe général d'enlèvements d'éclats sur un bloc de matière première.

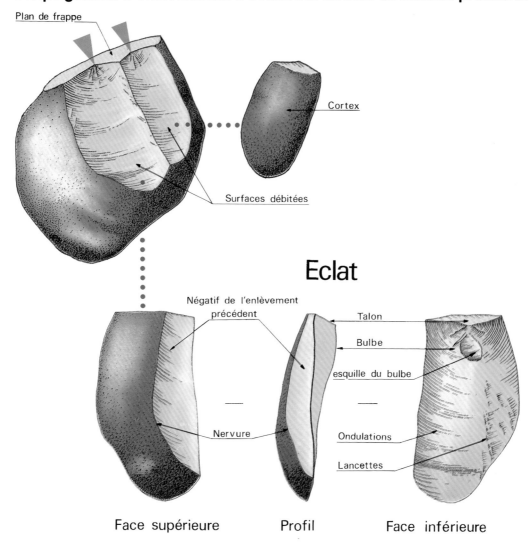

Plan de frappe

Cortex

Surfaces débitées

Eclat

Négatif de l'enlèvement précédent

Talon

Bulbe

esquille du bulbe

Nervure

Ondulations

Lancettes

Face supérieure   Profil   Face inférieure

Caractères principaux d'un éclat débité.

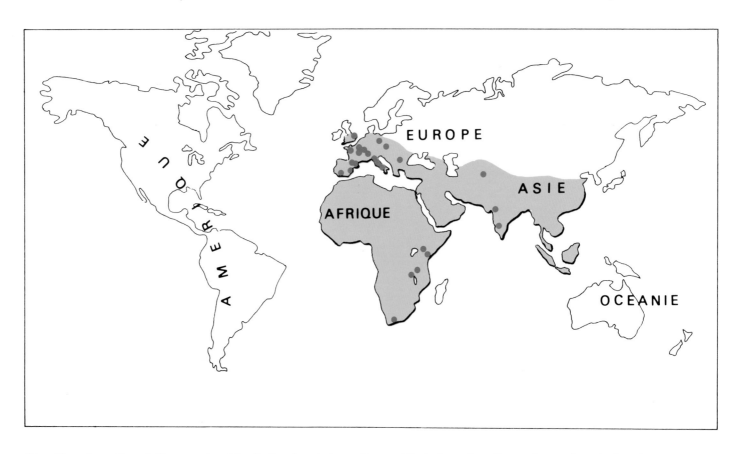

Répartition géographique de **Homo erectus** *et localisation des principaux sites ayant livrés des vestiges d'occupation ou des restes humains.*

Si le biface caractérise principalement les civilisations acheuléennes d'Asie, d'Afrique et d'Europe entre 450 000 et 120 000 ans, celui-ci est apparu beaucoup plus tôt dans ses formes primitives.

Elaboré par *Homo erectus* en Afrique vers 1 million d'années, il a été encore fabriqué par les derniers Néandertaliens jusqu'à 35 000 ans avant notre ère, associé à une industrie connue sous le nom de **Moustérien de tradition acheuléenne.**

Biface acheuléen de la région de Bergerac, Dordogne.

Dans les régions calcaires, vallées et vallons offrent souvent des abris naturels.

Homo sapiens neanderthalensis, sous-espèce du sapiens, se développe principalement au Proche-Orient et en Europe où il trouve son plein épanouissement. Bien que vivant à travers le temps sous divers régimes climatiques, maîtrisant le feu, cet homme de l'hémisphère nord, connaît des climats assez froids. Il se déplace, parfois sur d'assez longues distances, dans un environnement de steppes peuplées de chevaux, de rennes, de rhinocéros laineux, de mammouths... Ce contexte l'incite à occuper de nombreux abris naturels tels que pieds de falaises en corniche ou entrées de grottes. Le contenu archéologique de ses habitats révèle une organisation sociale déjà évoluée.

D'environ 300 000 ans à 35 000 ans...

La méthode Levallois

Le biface était habituellement taillé dans un bloc à partir duquel un seul outil, souvent volumineux, était produit par façonnage. Les Néandertaliens et leurs précurseurs vont adopter des méthodes plus économiques.

Le débitage consiste à fragmenter un bloc, afin d'en obtenir une série d'éclats dont la morphologie peut être prédéterminée. L'une des méthodes, utilisées dès la fin du Paléolithique inférieur et qui se développe durant le Paléolithique moyen est dite ''méthode Levallois'' du nom des grands gisements préhistoriques de Levallois près de Paris où elle a été observée pour la première fois au XIXᵉ siècle. La culture moustérienne est la plus représentée durant cette période, avec des variantes géographiques dans l'outillage.

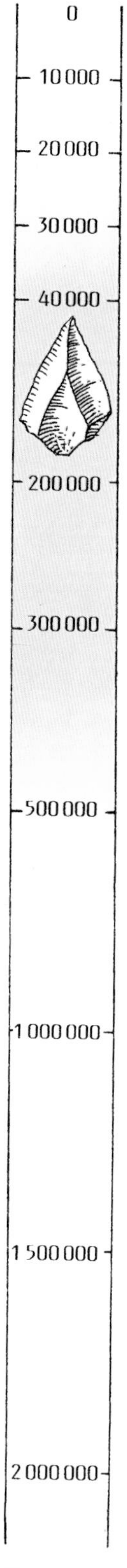

0
10 000
20 000
30 000
40 000
200 000
300 000
500 000
1 000 000
1 500 000
2 000 000

33

La matière première

Le silex est extrait du gîte de matière première découvert le plus souvent sur les bords abrupts d'un talus. En période glaciaire, les blocs pouvaient être dégagés de l'argile ou du calcaire qui les emprisonnait (par exemple à la fin de l'hiver, sous les effets conjugués du dégel et de la pluie). Leur forme, comme leur qualité, devait être déterminante lors de leur sélection par l'homme préhistorique.

Les outils employés pour la taille

Les éclats obtenus par le débitage Levallois le sont exclusivement à l'aide du percuteur dur, bien que le percuteur tendre soit connu et employé à cette époque.

Cela correspond au choix technique le plus adapté à ce mode de débitage.

La tracéologie

L'archéologue spécialiste de la tracéologie étudie les traces d'usures observables à l'œil nu mais aussi celles qui ne sont visibles qu'à fort grossissement, sur des outils préhistoriques, en les comparant à celles produites sur des répliques expérimentales utilisées dans diverses activités de mode préhistorique.

Son analyse permet de préciser la fonction des outils et de mieux comprendre la vie quotidienne de nos ancêtres.

Il a un recours constant à l'expérimentation et son travail illustre bien, à côté de celui d'autres spécialistes, la part croissante prise par l'archéologie expérimentale en Préhistoire.

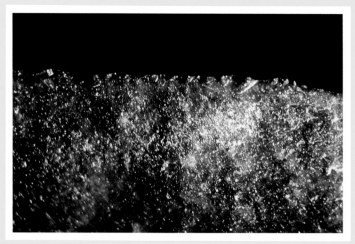

Détail de l'usure d'une lame de silex magdalénienne vraisemblablement utilisée pour couper de la peau.

Fort grossissement (280 fois), la surface est lustrée et striée. (Photo d'en haut).

Faible grossissement (10 fois), le tranchant apparaît ébréché et très légèrement émoussé. (Photo d'en bas).

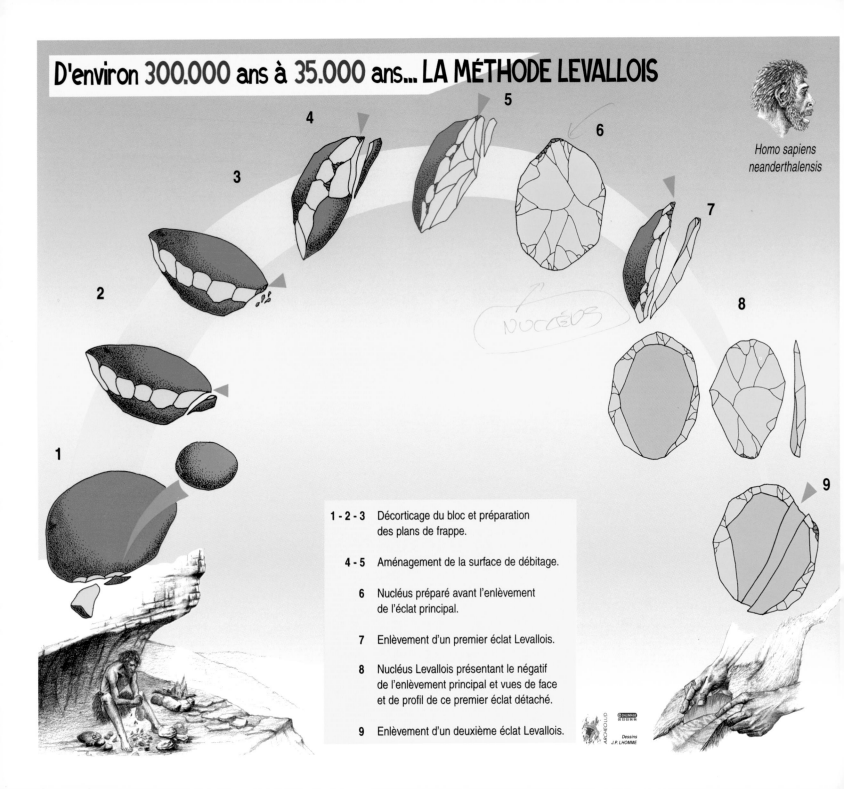

D'environ 300.000 ans à 35.000 ans... LA MÉTHODE LEVALLOIS

Homo sapiens neanderthalensis

NUCLÉUS

1 - 2 - 3   Décorticage du bloc et préparation des plans de frappe.

4 - 5   Aménagement de la surface de débitage.

6   Nucléus préparé avant l'enlèvement de l'éclat principal.

7   Enlèvement d'un premier éclat Levallois.

8   Nucléus Levallois présentant le négatif de l'enlèvement principal et vues de face et de profil de ce premier éclat détaché.

9   Enlèvement d'un deuxième éclat Levallois.

ARCHÉOLUD   © DALIMAGE   05 53 03 94 96

Dessins J.P. LHOMME

La fabrication

La méthode Levallois est une des méthodes de débitage systématisé qui permet de produire en série, à partir d'un même bloc, des **supports** potentiels d'outils. Elle répond au souci d'une meilleure productivité et à une économie de la matière première. Ce mode de débitage peut être décomposé en plusieurs étapes.

• Décorticage du bloc et préparation du plan de frappe

Cette première étape consiste à enlever de grands éclats de cortex tout autour du bloc, lui donnant une morphologie adaptée au débitage d'éclats qui se fera à partir de **plans de frappe** ainsi définis sur les bords (1 - 2 - 3).

La surface d'enlèvement des éclats, ou **surface de débitage**, est à son tour débarrassée de son cortex. Le tailleur donne à cette surface une forme légèrement bombée qui facilitera le détachement des premiers éclats Levallois. Ce bloc ainsi préparé est appelé **nucléus** Levallois (4 - 5 - 6).

• Enlèvement d'un éclat Levallois

Pour faciliter le détachement de cet éclat, il est nécessaire de préparer minutieusement l'emplacement du plan de frappe autour du point de percussion. Pour cela, le tailleur enlève des petits éclats et examine le profil du nucléus en le retournant.

L'éclat Levallois est alors débité à l'aide du percuteur dur en frappant d'un coup sec et précis sur le point de percussion. L'éclat se détache. Il peut être replacé sur l'empreinte, laissée par son **négatif d'enlèvement,** ce qui permet de mieux comprendre comment il a été obtenu (7 - 8).

Enlèvements d'autres éclats Levallois

D'autres éclats peuvent être enlevés, même s'il ne sont pas tous aussi réguliers que le premier, ni aussi grands. Ils sont également tranchants et peuvent être transformés en outils (9).

Quelques outils moustériens et leurs exemples d'utilisation

Les différentes formes d'éclats obtenues par cette méthode ont permis aux Moustériens de façonner divers outils dont les plus communs sont les racloirs et les pointes. A partir d'un éclat brut, une retouche — suite d'enlèvements de petits éclats au percuteur tendre — permet de préciser le contour de l'outil souhaité, de régulariser et de rendre plus résistant son tranchant.

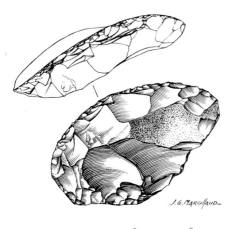

Les racloirs

Ces outils sont fréquemment retrouvés sur les sites moustériens et présentent des variations dans leur façonnage suivant les cultures auxquelles ils appartiennent. Parfois emmanchés, ils servaient au dépeçage et au râclage de la peau, au travail du bois.

0 — cm 3

Racloir transversal de type Quina.
Dessin J.-G. Marcillaud.

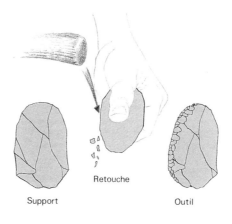

Support   Retouche   Outil

Exemple de fabrication d'un racloir.

Exemple d'un emmanchement
et d'utilisation

Les pointes Levallois

Réalisées dans la majorité des cas sur des éclats triangulaires, les pointes Levallois sont utilisées à l'état brut ou légèrement retouchées afin de régulariser leur extrêmité ou leur contour.

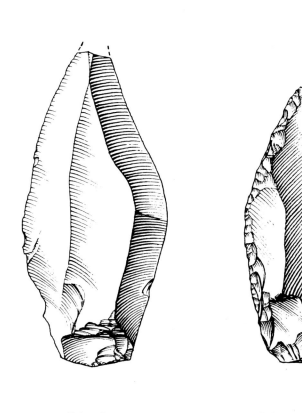

Pointe brute   *Pointe retouchée*

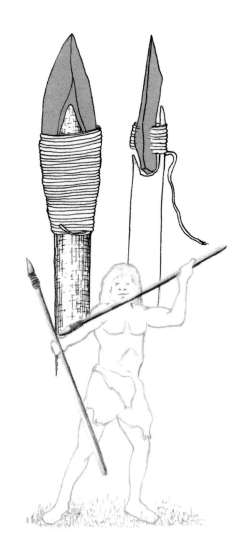

Certaines pointes pouvaient être emmanchées et utilisées comme arme de chasse.

Exemple d'emmanchement.

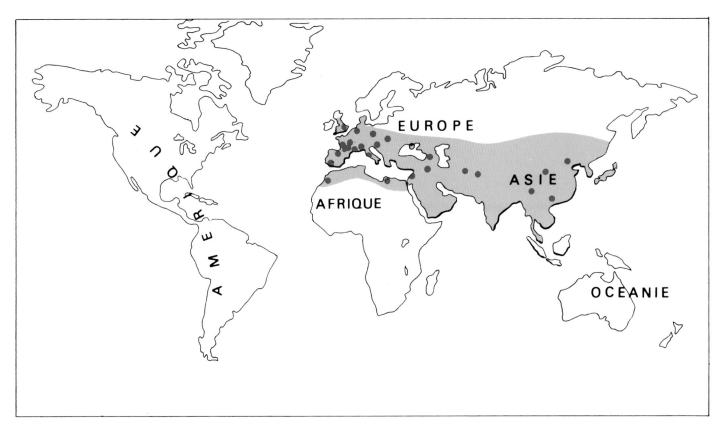

*Répartition géographique de **Homo sapiens neanderthalensis** et localisation des principaux sites ayant livrés des vestiges d'occupation ou des restes humains.*

Les Moustériens, auteurs du débitage Levallois, ont surtout occupé l'Asie, le Moyen-Orient et l'Europe. Si ce type de débitage est plus connu entre 90 000 et 40 000 ans avant notre ère, il est apparu bien plus tôt, vers 300 000 ans. Contrairement à la taille bifaciale, la méthode Levallois s'est brusquement éteinte avec ses inventeurs il y a 35 000 ans avant notre ère. Cela correspond, en Europe occidentale, à l'arrivée progressive d'*Homo sapiens sapiens,* porteur de nouvelles civilisations.

Nucléus Levallois en silex zoné. Région de Bergerac

Paysage de toundra avec rennes.

Homo sapiens sapiens, autre branche du genre homo, va, contrairement aux néandertaliens, essaimer peu à peu sur toute la surface du globe, s'adaptant et se diversifiant en fonction des environnements rencontrés. Ceux qui vivent en Europe durant la dernière grande glaciation sont bien connus. C'est dans un paysage ouvert, sans grande forêt et à la végétation rabougrie, que ces habiles chasseurs exercent leurs talents. Les rennes sont leur principal gibier, même s'ils ne négligent pas : chevaux, bovidés, bouquetins, chamois... Ils aiment le poisson et savent le pêcher. Leurs instruments de chasse, leurs objets familiers sont finement décorés de figures et de signes. Ils peignent et sculptent, ils enterrent leurs morts. *Homo sapiens sapiens* annonce les civilisations modernes.

DEPUIS 35 000 ANS JUSQU'A 10 000 ANS : LE DÉBITAGE LAMINAIRE

Bien qu'il soit apparu plus anciennement, le débitage laminaire ne connaît une pleine expansion que vers 35 000 ans avant notre ère en Europe occidentale.

C'est sans doute la recherche de supports d'outils, qui soient à la fois nombreux, de formes régulières et surtout allongées, qui a pu aboutir au remplacement rapide des débitages moustériens, Levallois par exemple, par une nouvelle méthode mieux adaptée aux besoins.

L'origine de ce changement brusque, survenu entre 45 000 et 35 000 ans, n'apparaît pas comme une révolution dans les techniques car les outils employés pour la taille et la manière de s'en servir restent sensiblement les mêmes qu'auparavant. C'est, semble-t-il, davantage une manière nouvelle d'aborder l'exploitation du volume de matière première à débiter afin d'en tirer un meilleur parti. Très succintement, on peut dire qu'au lieu d'exploiter le nucléus sur une de ses faces, comme le pratiquaient généralement les Moustériens, les hommes du Paléolithique supérieur vont, après un aménagement approprié, débiter leurs nucléus à partir de la tranche ou arête. Les résultats observés permettent de constater un rendement nettement supérieur dans la production de supports réguliers et standardisés.

La matière première

Comme ses prédécesseurs, *Homo sapiens sapiens* choisi principalement des blocs de silex de bonne qualité et de forme adaptée sur des gîtes de matière première. C'est pourquoi il extrait souvent des blocs assez loin de son campement. Il débite alors sur place des lames qu'il ramène au camp pour les transformer en outils. Ces lieux de débitage de blocs, très près des sources de matière première, sont appelés « **ateliers de taille** ». Connu au Paléolithique moyen, ce mode d'exploitation sur le gîte se généralise au Paléolithique supérieur.

Les outils employés pour la taille

Si les matières utilisées pour la percussion ne changent pas fondamentalement, l'homme moderne a dû diversifier ses types de percuteurs (longueur, grosseur, masse) selon le travail à accomplir.

Percussion directe

Percuteurs durs

1

2

Percuteurs tendres

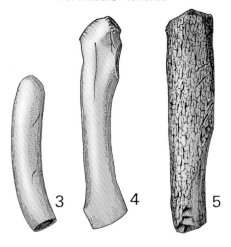

3   4   5

Pression

6

Les outils pour la taille

• La percussion directe

Les percuteurs durs

Bien qu'ils soient les premiers employés, ils répondent à un certain nombre de critères de choix quant à la qualité de leur matière et de leur forme. Ce sont le plus souvent des galets durs et denses. Leur aspect a de l'importance car le but est de fractionner et non d'être fractionné. Les galets ronds sont les plus résistants car ils n'offrent aucun angle favorable à l'éclatement.

La grosseur de ces galets varie en fonction de la nature du bloc à débiter, de son volume et de la méthode de débitage (1). Certains, plus petits, peuvent être utilisés comme « **abraseurs** » pour préparer un plan de frappe (2).

Les percuteurs tendres

Associés à certaines méthodes, ils permettent d'obtenir selon celles qui sont choisies choisies, des débitages plus longs ou plus fins ou encore des façonnages plus précis, par exemple :
— débitage : bois animal (4), bois végétal (5),
— façonnage : bois animal (3).

• La pression

La technique de retouche à la pression n'apparaît qu'au Paléolithique supérieur et, plus précisément, avec le **Solutréen.** L'outil employé pour ce travail, qui consiste à « presser » le bord du support afin de le façonner, s'appelle un « **retouchoir** ». Cela peut être un fin andouiller (6), des baguettes de bois de cervidé, de l'os ou de l'ivoire.

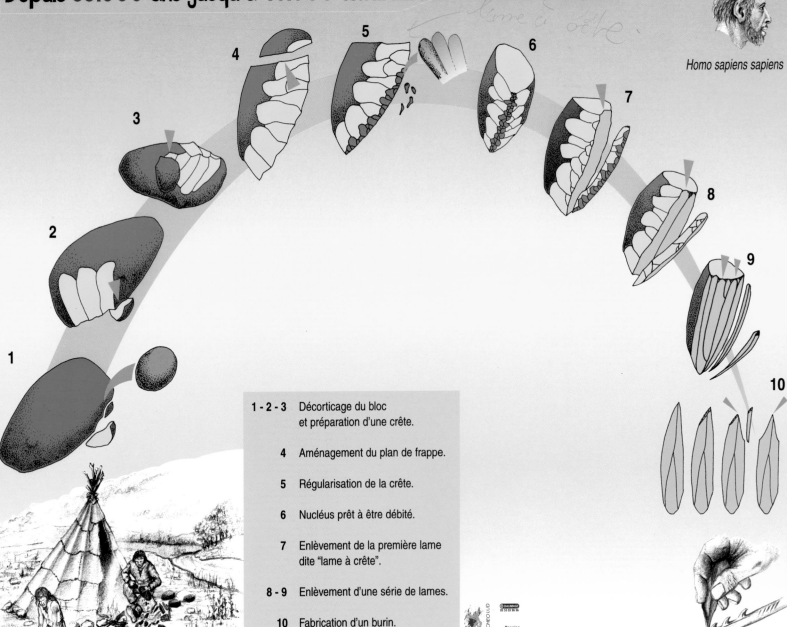

Depuis 35.000 ans jusqu'à 10.000 ans... LE DÉBITAGE LAMINAIRE

Homo sapiens sapiens

1
2
3
4
5
6
7
8
9
10

1 - 2 - 3 Décorticage du bloc et préparation d'une crête.

4 Aménagement du plan de frappe.

5 Régularisation de la crête.

6 Nucléus prêt à être débité.

7 Enlèvement de la première lame dite "lame à crête".

8 - 9 Enlèvement d'une série de lames.

10 Fabrication d'un burin.

DALIMAG
05 53 03 96 96

ARCHEOLID

Dessins
J.P. LHOMME

La fabrication

L'une des méthodes de débitage de lames par percussion directe peut être décomposée en quatre étapes principales.

- **Décorticage du bloc et préparation d'une « crête »**

Le tailleur débarrasse le bloc de son cortex par des enlèvements alternés sur les deux faces à l'aide d'un percuteur dur. Il obtient, sur toute la longueur du bloc, une arête principale que l'on appelle aussi « **crête** ». Il termine cette première opération au percuteur tendre afin de préciser la régularité et la courbure de cette crête. La courbure facilite le détachement de la première lame sur toute la longueur du bloc (1 - 2 - 3).

- **Le plan de frappe**

Pour débiter le silex et les roches dures en général, il faut un angle de percussion inférieur à 90°. Celui-ci est obtenu en enlevant un gros éclat au percuteur dur à partir d'une extrémité de la crête, définissant ainsi un plan de frappe adjacent à l'arête principale. Le nucléus est alors prêt pour le débitage de lame (4 - 5).

- **Enlèvement de la première lame dite « lame à crête »**

Après avoir précisé le point de percussion — partie la plus avancée du plan de frappe —, par des enlèvements de petits éclats à l'aide du galet abraseur, un coup vif et précis y est donné. La première lame, de section triangulaire, se détache ; on l'appelle lame à crête (6).

- **Enlèvement des autres lames**

Tant que l'angle du plan de frappe est conforme, on peut débiter d'autres lames. Pour cela, il est toutefois nécessaire de « préparer » un nouveau point de percussion à l'extrémité d'une des deux arêtes déterminées par le détachement de la lame précédente. Les lames suivantes seront détachées suivant le même principe (7). Elles seront plus fines et plus tranchantes et, à partir du même bloc, il sera possible d'en fabriquer plusieurs dizaines, de même forme, mais de plus en plus petites au fur et à mesure de la diminution du nucléus (8).Certaines sont transformées en outils, dans le cas présent en burin (9).

Au cours du débitage l'angle du plan de frappe peut varier. Il peut être éventuellement réajusté grâce à un enlèvement pratiqué sur la surface de ce plan de frappe. L'éclat qui résulte de cette opération est appelé tablette de ravivage.

Cette méthode a permis aux hommes préhistoriques d'obtenir des supports de taille très variables liés à la matière première disponible (petits ou grands blocs) et à la nature de leurs besoins : depuis les petites lamelles de 2 à 3 cm, montées en série sur des sagaies en os, jusqu'aux grandes lames pouvant atteindre 30 cm, comme celles fabriquées par les Magdaléniens d'Etiolles, dans la région parisienne.

Quelques outils et leurs exemples d'utilisation

Les gisements préhistoriques du Paléolithique supérieur ont livré une grande variété d'armes et d'outils, fabriqués par retouche des lames support. Quatre exemples seront retenus.

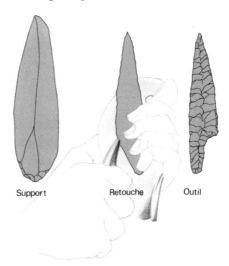

Support   Retouche   Outil

Exemple de fabrication d'une pointe à cran.

• La pointe à cran

C'est une pointe de projectile qui caractérise la culture du Solutréen vers 18 000 ans avant notre ère. Sa réalisation fait apparaître une nouvelle technique de retouche appelée : retouche à la pression.

Selon une des techniques de fabrication, le tailleur tient la lame au creux de la main et, à l'aide d'un retouchoir, il exerce une forte pression sur le bord de celle-ci afin de dégager en série des éclats fins, parrallèles et couvrants. Cette technique a l'avantage d'une grande précision et permet le façonnage d'une pointe très aiguë. Cette finesse de retouche s'observe également sur d'autres outils solutréens tel que la feuille de saule.

Emmanchée à l'extrémité d'une hampe, la pointe à cran devait être une excellente pointe de projectile pour la chasse. Des expérimentations récentes montrent qu'elles pouvaient être montées sur des hampes de flèches ou de javelines lancées au propulseur ou peut-être même à l'arc.

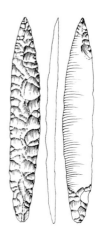

Feuille de saule.

Pointes à cran emmanchées

48

• Les burins

Leur fabrication consiste à appointer l'extrémité d'une lame par l'enlèvement d'une petite lamelle ou chute de burin sur un ou deux bords. Cet enlèvement détermine un bec très incisif, en forme de minuscule gouge, très efficace en particulier pour le découpage et le travail de l'os. C'est un outil qui se réaffûte en enlevant de nouvelles lamelles.

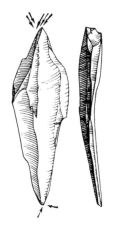

Burin double

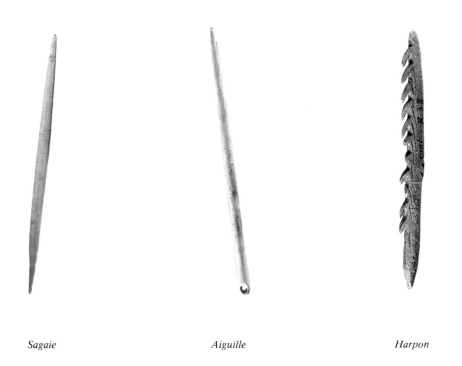

Sagaie   *Aiguille*   *Harpon*

Le burin servait, entre autres travaux, à creuser par incisions profondes les bois de cervidé, l'os et l'ivoire pour fabriquer des armes ou des outils tels que sagaies, harpons, aiguilles ou poinçons.

• Le grattoir

Son façonnage consiste à retoucher en demi-cercle le bout d'une lame par une suite d'enlèvements de petits éclats. On obtient ainsi une extrémité retouchée, très résistante, sur un support allongé qui se prête aisément à l'emmanchement. Comme le burin, cet outil se réaffûte.

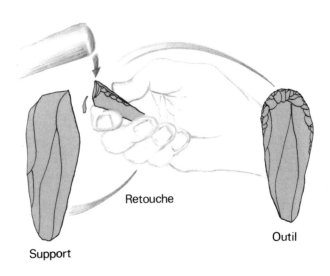

Retouche

Outil

Support

Exemple de fabrication d'un grattoir.

0   cm 3

Grattoir en bout de lame
Dessin J.-G. Marcillaud.

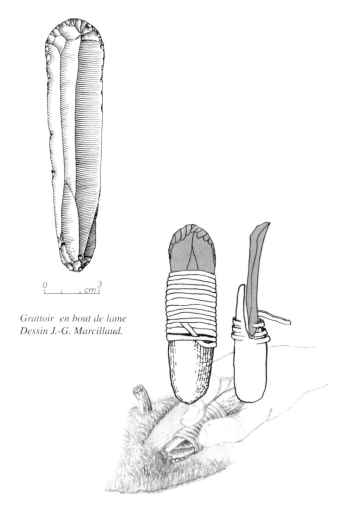

Comme l'indique l'étude des traces d'usures, les grattoirs ont servi le plus souvent pour le tannage des peaux mais aussi pour gratter l'os ou l'ocre.

Exemple d'emmanchement
et d'utilisation.

50

• Le perçoir

C'est l'ancêtre des mèches de nos perceuses. Sa fabrication est simple mais délicate à exécuter. Elle consiste à rétrécir l'extrémité d'une lame par de petits enlèvements latéraux pour dégager une pointe perforante. Cet outil est moins fréquent que les deux précédents.

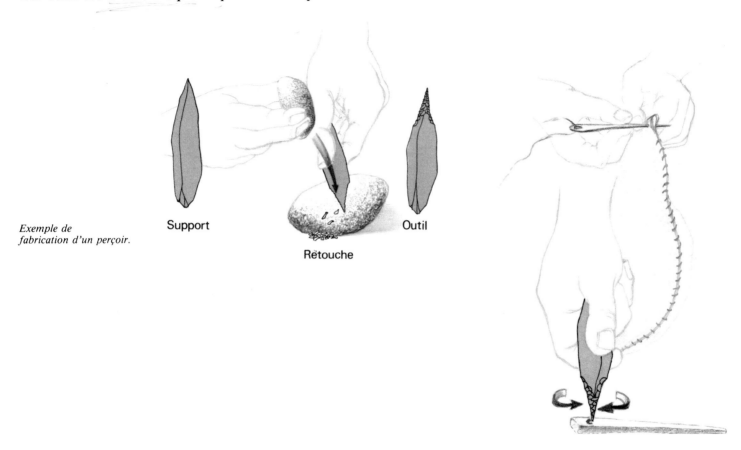

Exemple de fabrication d'un perçoir.

Support

Retouche

Outil

La diversité des perçoirs varie selon la grosseur des perforations à exécuter : de celle (minuscule) de l'aiguille à chas à celle (très grande) du bâton percé. Ils servaient également à percer la peau mais aussi les dents, les coquillages, le bois, etc.

Utilisation d'un perçoir.

51

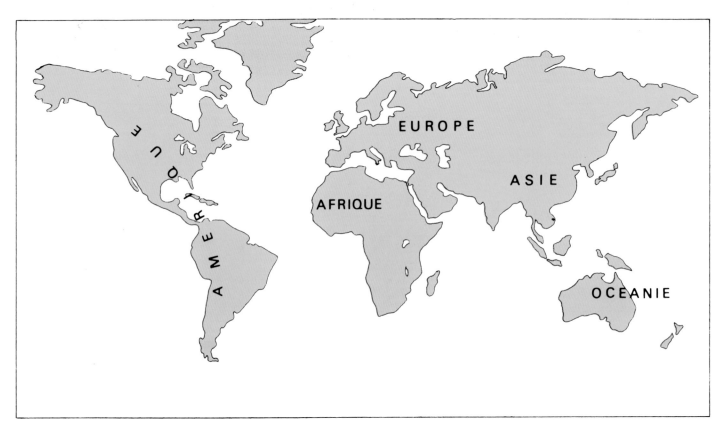

Répartition géographique de **Homo sapiens sapiens.**

De 35 000 ans et jusqu'à la fin du Paléolithique supérieur, vers 10 000 ans avant notre ère, *Homo sapiens sapiens* (dont l'homme de Cro-Magnon est un fossile périgourdin) va progressivement occuper tous les continents (sauf l'Antarctique).

Le débitage laminaire et les diverses techniques de retouches montrent un réel progrès technologique et une évolution importante dans les comportements et les modes de vie des différentes cultures (**aurignacienne, périgordienne,** solutréenne et **magdalénienne**) qui se sont succédées durant 25 000 ans.

Cette façon de tailler la pierre va se prolonger en s'adaptant aux nécessités des derniers chasseurs-cueilleurs du **Mésolithique** (9 000 - 5 000 ans avant notre ère). Les besoins différents des agriculteurs-éleveurs du **Néolithique** (5 000 - 2 000 ans avant notre ère), et surtout l'apparition du cuivre et du bronze (en France 2 000 ans avant notre ère), vont peu à peu faire disparaître la connaissance et la pratique de la taille des roches dures, après plus de deux millions d'années d'une longue évolution technologique.

Nucléus à lames à deux plans de frappe.

Glossaire

Abbevillien - *n.m. et adj.*

(De Abbeville, Somme). Terme employé pour désigner des outils épais taillés en bifaces par percussion à la pierre et ayant gardé une grande quantité de cortex sur l'un des côtés et à la base. Il appartient à la culture Acheuléenne.

Acheuléen - *n.m. et adj.*

(De Saint-Acheul, Somme). Ensemble culturel préhistorique caractérisé par des outils taillés en bifaces ou en hachereaux accompagnés d'outils sur éclats : racloirs, grattoirs et objets encochés.

Aurignacien - *n.m., et adj.*

(De Aurignac, Haute-Garonne). Ensemble culturel préhistorique caractérisé par des silex taillés, dont les bords comportent des retouches écailleuses (lames, pointes, grattoirs), par les premières pointes en os et l'apparition de l'art figuratif. Connu de 35 000 à 20 000 ans avant notre ère.

Australopithecus - *n.m.*

(Du latin *australis,* austral et du grec *pithecos,* singe). Hominidés. Les premiers ont été trouvés en Afrique du Sud : faible capacité crânienne (460 à 600 m^3). Les plus anciens datent de 4,5 millions à 1 million d'années.

Chaîne opératoire.

Enchaînement de gestes relevant d'une technique partant d'un bloc brut pour arriver à un produit fini. Exemple : chaîne opératoire du « débitage Levallois ».

Cro-Magnon (Homme de)

Squelettes trouvés sous l'abri Cro-Magnon aux Eyzies et qui ont donné leur nom à un ensemble humain « *sapiens sapiens* », connu entre 30 000 et 10 000 ans avant notre ère et qui comporte d'autres vestiges célèbres comme les hommes de Combe-Capelle, de Grimaldi, de Chancelade, etc. Ils sont nos ancêtres directs.

Datation

Détermination par une méthode de l'âge d'une couche, d'un fossile ou d'une structure. La radiochronologie offre plusieurs méthodes :
— méthode du Carbone 14,
— méthode du potassieum-argon,
— méthode de l'uranium-thorium,
— thermoluminescence.

Débitage - *n.m.*

Terme désignant l'action de fractionner intentionnellement un bloc de matière première.

Déchet - *n.m.*

Terme désignant l'ensemble des éclats et débris abandonnés provenant d'un débitage : déchets de taille.

Ere - *n.f.*
Une des plus grandes divisions géochronologiques.
L'ère primaire : 570 à 235 millions d'années.
L'ère secondaire : 230 à 65 millions d'années.
L'ère tertiaire : 65 à 2 millions d'années.
L'ère quaternaire : plus de 2 millions d'années à nos jours.

Façonnage - *n.m.*
Taille d'un bloc par une suite d'enlèvements d'éclats afin d'en extraire un outil ou une ébauche. Par exemple : le façonnage d'un biface.

Gîte - *n.m.*
Dans le cas présent, lieu où l'on trouve en plus ou moins grande quantité de la matière première apte à la taille.
Par exemple : « Gîte de silex ».

Homo habilis
Homme de petite stature, à capacité crânienne de 500 à 800 cm³, connu vers 1,8 - 1,6 millions d'années, en Afrique. Il est l'auteur d'industries de petits galets aménagés.

Homo erectus
Déjà proche de l'homme actuel, taille 1,70 m, capacité crânienne assez réduite (750 à 1 250 cm³), front fuyant, bourrelet sus-orbitaire, mâchoire robuste. On distingue parmi eux les Pithécanthropiens afro-asiatiques (Java, Chine, Afrique) et les Anténéandertaliens européens de 700 000 à 80 000 ans avant notre ère (Tautavel, France).

Homo sapiens neanderthalensis
Néandertalien, de taille moyenne à capacité crânienne de 1 200 à 1 650 cm³ et à arcades sourcillières encore proéminentes. On les connaît de 80 000 à 35 000 ans avant notre ère en de nombreux gisements d'Europe (Le Moustier, La Ferrassie).

Homo sapiens sapiens
Ancêtre de l'homme actuel dont il se différencie peu anatomiquement. On distingue parfois des ensembles ou des races (Cro-Magnon, Chancelade, Grimaldi). Auteur des sculptures, gravures, peintures rupestres.
Connu depuis quelque 35 000 ans avant notre ère.

Lame, lamelle - *n.f.*
Eclat allongé dont la longueur est d'au moins deux fois supérieure à la largeur. La lamelle est une petite lame.

Magdalénien - *n.m. et adj.*
(Du gisement de La Madeleine, Dordogne). Ensemble culturel du Paléolithique supérieur comportant des silex taillés (burins, pointes ou microlithes) et de nombreux outils osseux (sagaies, aiguilles et harpons barbelés). On lui attribue de nombreux témoignages artistiques sur objets ou sur les parois des grottes. De 15 000 à 9 000 ans environ avant notre ère.

Mésolithique - *n.m. et adj.*
Ce terme désigne les industries situées entre le Paléolithique supérieur et le Néolithique.

Moustérien - *n.m. et adj.*
Terme désignant la principale culture du Paléolithique moyen, durant plus de 150 000 ans. Il est avec son artisan, l'homme de Néandertal, présent sur toute l'Europe.

Moustérien de tradition acheuléenne
Il désigne un des faciès du Paléolithique moyen et se caractérise par son industrie lithique riche en bifaces.

Néolithique - *n.m. et adj.* (Age de la pierre nouvelle).
Ce terme désigne la transformation totale du mode de vie des groupes humains depuis les origines (domestication et cultures par exemple). Dans la fabrication de l'outillage en pierre, cela se concrétise notamment par l'adoption d'une finition par polissage d'outils liés aux activités agricoles.

Paléolithique - *n.m. et adj.* (Age de la pierre ancienne).
Ce terme désigne la première période de l'Ere quaternaire où apparurent les premières civilisations humaines avec des outils de pierre taillés il y a plus de 2 000 000 d'années.

Paléolithique inférieur, moyen, supérieur.
Subdivisions du Paléolithique :
— Paléolithique inférieur : d'environ 2 000 000 d'années à 300 000 ans avant notre ère ;
— Paléolithique moyen : d'environ 300 000 ans à 35 000 ans avant notre ère ;
— Paléolithique supérieur : d'environ 35 000 ans à 9 500 ans avant notre ère.

Périgordien - *n.m. et adj.*
Ensemble culturel du Paléolithique supérieur caractérisé par ses silex taillés en pointes, ses burins et ses lames à dos abattu par des retouches abruptes. De 35 000 à 20 000 ans avant notre ère.

Remontage - *n.m.*
A partir d'une série de pièces lithiques, archéologiques ou expérimentales, c'est la mise en évidence de l'ordre et de l'agencement des enlèvements successifs provenant tous d'un même bloc.

Solutréen - *n.m. et adj.*
(De Solutré, localité de Saône-et-Loire). Ensemble culturel du Paléolithique supérieur caractérisé par des outils et des armes de silex taillés de façon très régulière grâce à des enlèvements, par percussion, plats et envahissants (« feuille de laurier ») et des retouches par pression, parallèles, fines et couvrantes (« feuille de saule », « pointe à cran »). Les Solutréens sont les inventeurs des aiguilles à chas en os et les auteurs de nombreuses sculptures et peintures. De 20 000 à 16 000 ans environ avant notre ère.

Support - *n.m.*
Tout élément à partir duquel on façonne un outil par retouche.

Technologie expérimentale
Liée directement à l'étude archéologique, elle permet de vérifier certaines observations et déductions, mais aussi de tester des hypothèses.

La réglementation relative au patrimoine archéologique*

I - Rappel de la réglementation archéologique.

L'archéologie est une science qui permet aux hommes d'aujourd'hui de connaître l'environnement et les modes de vie de leurs ancêtres et de satisfaire ainsi le besoin de connaissance de leur lointain passé.

Les fouilles entreprises en France, afin d'être conduites scientifiquement, sont organisées et soutenues par l'Etat : ceci suppose qu'il soit alerté immédiatement en cas de découverte fortuite.

La loi du 27 septembre 1941, validée en 1945, a donc prévu : « Nul ne peut effectuer sur un terrain lui appartenant ou appartenant à autrui des fouilles ou des sondages à effet de recherches de monuments ou d'objets pouvant intéresser la préhistoire, l'histoire, l'art ou l'archéologie sans en avoir au préalable obtenu l'autorisation de l'Etat ».

« Lorsque, par suite de travaux ou d'un fait quelconque, des monuments, des ruines, susbstruction, mosaïques, éléments de canalisation antique, vestiges d'habitation ou de sépultures anciennes, des inscriptions ou généralement des objets pouvant intéresser la préhistoire, l'histoire, l'art, l'archéologie ou la numismatique sont mis à jour, l'inventeur de ces vestiges ou objets et le propriétaire de l'immeuble où ils ont été découverts sont tenus d'en faire la déclaration immédiate au Maire de la commune qui doit transmettre sans délai au Préfet ». Celui-ci avise le Ministre de la Culture de la Communication et du Bicentenaire ou son représentant (Direction Régionale des Affaires Culturelles Direction des Antiquités). L'inventeur peut aussi dans les cas d'urgence, ou pour une plus grande rapidité, prévenir directement la Direction des Antiquités.

Enfin, la loi du 15 juillet 1980 a prévu des sanctions contre toute personne ayant intentionnellement détruit ou détérioré des découvertes archéologiques, ou un terrain contenant des vestiges.

« **Art. 257.** - Quiconque aura intentionnellement détruit, abattu, mutilé ou dégradé des monuments, statues et autres objets destinés à l'utilité ou à la décoration publique, et élevés par l'autorité publique ou avec son autorisation, sera puni d'un emprisonnement d'un mois à deux ans et d'une amende de 500 Francs à 30 000 Francs ».

---

* Extrait de : FRANCE, Ministère de la Culture et de la communication
La recherche archéologique en France, T.I. Réglementation générale. Paris : A.F.A.N., 1987.

« **Art. 257-1.** - Sera puni des peines portées à l'article 257 quiconque aura intentionnellement :
— « soit détruit, abattu, mutilé ou dégradé un immeuble ou un objet mobilier classé ou inscrit » ;
— « soit détruit, mutilé, dégradé, détérioré des découvertes archéologiques faites au cours de fouilles ou fortuitement, ou un terrain contenant des vestiges archéologiques » ;
— « soit détruit, mutilé ou dégradé une épave maritime présentant un intérêt archéologique, historique ou artistique ou tout autre objet en provenant ».

La plupart des objets ou vestiges immobiliers découverts fortuitement n'ont aucune valeur commerciale (ossements, silex taillés, fragments de roches, poteries, objets métalliques) et ne sont précieux que par l'intérêt scientifique qu'ils représentent. Ils appartiennent au propriétaire du sol, conformément à l'article 552 du code civil, le plus souvent laissés temporairement à la disposition des scientifiques pour étude et déposés dans des collections publiques situées près du lieu de leur découverte.

II - Adresses utiles

Pour toute demande d'informations complémentaires concernant :
— documentation,
— films,
— formations et stages,
— chantiers et fouilles archéologiques,
— découvertes archéologiques fortuites,

si vous résidez en Aquitaine :

Service régional de l'Archéologie
54, rue Magendie - 33074 Bordeaux cedex
Tél. 05 57 95 02 24 - Fax : 05 57 95 01 25

en Dordogne, vous pouvez vous adressez directement au :

Service départemental de l'Archéologie
2, rue Paul-Louis Courier-24019 Périgueux cedex
Tél. 05 53 06 40 20 - Fax : 05 53 06 40 24
e-mail : cg.archeologie@perigord.tm.fr

Pour en savoir plus

I - Ouvrages

1 - BORDES (F.) - **Typologie du Paléolithique ancien et moyen** - 3ᵉ éd. - Paris : C.N.R.S., 1979. 2 vol., 211 p., ill., Cahiers du Quaternaire.

2 - BREZILLON (M.N.) - **Dictionnaire de la préhistoire** - Paris : Librairie Larousse, 1969, 265 p., ill.

3 - BREZILLON (M.N.) - **La dénomination des objets de pierre taillée** : matériaux pour un vocabulaire de préhistoriens de langue française. Réimp. - Paris : C.N.R.S., 1984. 420 p., ill. - (Supplément à Gallia Préhistoire).

* 4 - BUFFETAUT (E.) et HUBLIN (J.-J.) - **Les animaux préhistoriques et leurs secrets.** - Paris : Fernand Nathan, 1985, 72 p., ill. en coul. - (Un grand livre « questions-réponses »).

5 - COPPENS (Y.) - **Le singe, l'Afrique et l'homme** - Paris : Hachette pluriel, 1985. 246 p., (Pluriel, 8446).

6 - GOUDINEAU (Ch.), GUILAINE (J.) (Dir.) - **De Lascaux au Grand Louvre : archéologie et histoire en France.** Paris : Errance, 1989, 542 p., ill.

* 7 - GOULETQUER (P.) - **Le livre des premiers hommes** - Paris : Gallimard, 1984, 92 p., ill. en coul. - (Découverte Cadet, 18).

8 - GUILAINE (J.) (Dir.) - **La préhistoire d'un continent à l'autre** - Paris : Larousse, 1986. 191 p., ill. en coul.

9 - GOWLETT (J.A.J.) - **L'invention de la civilisation.** - Paris : Nathan, 1985, ill. en coul.

10 - HUBLIN (J.-J.) - **Les origines de l'homme** - Paris : Hachette, 1979, 62 p., ill. (Pour en savoir plus).

* 11 - LEBRUN (F.) - **Au temps des cavernes.** - Paris : Casterman, 1984, 46 p., ill. en coul. - (Des enfants dans l'Histoire).

12 - LEROI-GOURHAN (A.) - (Dir.) - **Dictionnaire de la Préhistoire** - Paris : P.U.F., 1988, 1222 p., ill.

13 - LEROI-GOURHAN (A.) - **Préhistoire de l'art occidental.** - Paris : Ed. d'art L. Mazenot, 1965, 482 p., ill. - (L'art et les grandes civilisations).

14 - LEROI-GOURHAN (A.) - **Pincevent : campement magdalénien de chasseurs de rennes.** - Paris : Ministère de la Culture, Imprimerie Nationale, 1984. 94 p., ill. - (Guides Archéologiques de France).

* 15 - MERRIMAN (M.) (Dir.) *et al.* - **Les premiers hommes** - Paris : Gallimard, 1969. 64 p., ill. (Les yeux de la découverte).

16 - MOHEN (J.-P.) (Dir.) 1989 - **Le temps de la Préhistoire** - Paris : Société Préhistorique Française, Archéologia. 1989, t. 1, 479 + 18 p., ill., t. 2, 256 p., ill.

* 17 - NOUGIER (L.R.) et AGEORGES (V.) - **Rouffignac.** - Paris : Albin Michel Jeunesse. 1985. 61 p., ill. - (Un lieu, des hommes, une histoire).

* Extrait de : FRANCE, Ministère de la Culture et de la communication
   La recherche archéologique en France, T.1. Réglementation générale. Paris : A.F.A.N., 1987.

* 18 - PRIDEAUX (T.) - **L'homme de Cro-Magnon.** - Time-Life, 1973. 160 p., ill. en coul. - (Les origines de l'homme).

* 19 - RESTELLINI (P.) - **Les hommes préhistoriques** - Paris : Nathan Jeunesse, 1986, 61 p., ill. en coul. - (Comment vivaient...).

* 20 - SAINT-BLANQUAT (H. de) - **Les premiers hommes** - Paris : Casterman, 1985, 77 p., ill. en coul. - (L'histoire des hommes).

* 21 - SAINT-BLANQUAT (H. de) — **Les premiers français** - Paris : Casterman, 1987, 230 p., ill. en coul.

* 22 - SAINT-BLANQUAT (H. de), AGEORGES (V.) - **Lascaux** - Paris : Casterman, 1989. 48 p., ill. - (Les jours de l'histoire).

23 - TIXIER (J.), INIZAN (M.-L.), ROCHE (H.) - **Préhistoire de la pierre taillée 1, terminologie et technologie** - Pari : CREP, 1980, 120 p., ill.

24 - TIXIER (J.) - **Préhistoire de la pierre taillée, 2 : économie du débitage laminaire : technologie et expérimentation** - IIIe table ronde et technologie lithique - Meudon-Bellevue, oct. 1982. Paris : CREP, 1984, 168 p., ill.

II. Diapositives

* 25 - JULIEN (M.) - **L'habitat préhistorique** - 2e éd. - Paris : CNDP, 1982, 12 diapositives coul. 24 x 36 + livret. - (Diathèque Sciences humaines et sociales, histoire).

* 26 - MASSET (Cl.) et PERLES (C.) - **Travail et société au Paléolithique : le geste et l'outil 1.** - Paris : La Documentation Française, 1978. 12 diapositives coul. 24 x 36 + livret. - (Documentation photographique ; 6037).

* 27 - PELEGRIN (J.) - **La taille de la pierre pendant la préhistoire.** - Dijon : Centre régional de documentation pédagogique, 1983. 24 diapos. coul. 24 x 36 mm + 1 livret.

* 28 - TARRETE (J.) - **L'outil préhistorique** - 2e éd. - Paris : CNDP, 1985, 12 diapos. coul. 24 x 36 mm + livret. - (Diathèque Sciences humaines et sociales, histoire).

III. Vidéo

29 - GENESTE (J.-M.) - **Tailler le silex** - Périgueux : AGPMAS, Département de la Dordogne, 1985 (prod.) 1 bande vidéo 3/4 U matic standard, 13 min., couleur, sonore, + livret.

30 - VILLEMONT (J.) - **Lascaux revisité.** Sous la dir. sc. de N. Aujoulat. C.N.P. COM.IN, 1989. Vidéodisque, 1 face, 30 mn d'images animées, 1 000 doc. fixes, couleur, sonore.

IV. Revues périodiques

31 - Archéologia.

32 - Dossiers Histoire et Archéologie.

* 33 - Gullivore. **Préhistoire. Il y a 13 000 ans les chasseurs magdaléniens.** Paris : Francs et Franches Camarades, n° 8 bis, juin 1989, 80 p., ill. en coul.

---

* Documents accessibles à un public jeune.

Crédit photographique
N. AUJOULAT © C.N.P. *page 28*
J.-M. GENESTE *pages 25 - 48*
B. KERVAZO *page 32*
© Musée National des Eyzies - *pages 21 - 45 - 49*
M. OLIVE © D.A.P.A. *pages 31 - 41 - 53*
H. PLISSON Laboratoire de Préhistoire et Technologie, C.N.R.S *page 35*
J.-F. TOURNEPICHE Musée d'Angoulême *pages 16 - 22 - 42*

Photo de couverture : M. DOLARD
Maquette de couverture : C. GODEFROY

Achevé d'imprimer
le 7 septembre 1990
sur les presses
de l'Imprimerie Fanlac
à Périgueux.

Réédition
16 octobre 1998.

Table des matières